El escape cubano

Mira Canion

El escape cubano
Cover by: Mira Canion
Illustrator: Sandra Davis
Interior Design by: Alex Saldaña
Photography by: Mira Canion

ISBN 978-0-9914411-5-0

Nota de la autora

Have you ever been so frightened that every cell in your body froze? My friend Ivan has, but his fear did not stop him from secretly launching his handmade raft from the shore near Havana, Cuba. Ivan wanted to escape from Cuba because he was tired of the lies and restrictions of the Cuban Communist government. Like many Cubans, he did not have an exit visa and could never hope to afford one due to his $20 monthly state salary. He intended to land on the beach of Florida after three or four days at sea. If he made it, he could apply for legal U.S. residency thanks to the American wet foot, dry foot policy that has beckoned thousands of Cubans to make the 90-mile journey. If he were picked up at sea, he would be returned to Cuba.

Sadly, more than 16,000 Cubans have not survived the dangerous currents and shark-infested waters south of Florida. Why have so many Cubans felt compelled to escape their island? The whole situation seems so unnecessary.

La Habana, Cuba

Communist Cuba has been in a battle of political ideas with its huge neighbor, the United States, since January 1, 1959 when Fidel Castro declared himself leader. Capitalist America has been trying to undermine Castro ever since: American citizens have been severely limited from traveling to Cuba, there has been a crippling embargo, and U.S. policies entice Cubans to empty the island. But changes in policy between the two governments are in the air and such potential changes have encouraged even more Cubans to leave. Over 5,000 attempted an escape by sea in 2016 with more than 40,000 arriving in the U.S. by land, air, or sea.

No matter what changes the future brings, let's forever remember how awful and terrifying this period of time has been for so many Cubans. Unfortunately, Ivan is just one of many stories. The story you are about to read incorporates several actual accounts of sea escapes. Although my story is fictitious, Ivan's true story inspired it.

May Ivan's brave act of building a raft encourage you to think about your own fears and challenges: What fears stop you? And what fears keep you moving forward?

So are you brave enough to grab an oar and read on? Don't be afraid!

Mira Canion
Colorado
November 2016

Apartamentos

Capítulo 1

Conmigo

La Habana, Cuba

2016

Estoy contento. ¡Estoy muy contento porque es el fin de semana! No hay clases. Quiero jugar al béisbol este fin de semana.

En ese momento yo estoy frente a mi apartamento. Mi familia tiene un apartamento muy pequeño en La Habana. ¡Pero un momento! No entro a mi apartamento. ¡Hay un problema! Mi papá está furioso. Mi papá habla seriamente con mi mamá. No entro a mi apartamento porque mi papá está furioso. Mi mamá no está contenta.

Mi papá y mi mamá tienen muchos problemas. No me gustan los problemas. Mi papá se llama Yordani y mi mamá se llama Alondra. Mi papá le dice a mi mamá:

–Quiero escaparme.

–Yordani, ¡no! ¿Quieres ir a prisión? –responde mi mamá.

–No me importa. ¿Quieres ir a Florida conmigo? –pregunta mi papá.

No entro a mi apartamento. Estoy nervioso. Es ilegal escaparse de Cuba. ¿Por qué quiere escaparse mi papá?

–Tengo miedo. Yo me quedo en Cuba –le dice mi mamá.

–Miguel no se queda en Cuba –explica mi papá.

–¡No! Miguel se queda conmigo en Cuba.

¡Un momento! ¿Y yo? Yo soy Miguel, es mi decisión. No quiero escaparme. Quiero quedarme porque estoy contento en Cuba.

–¿Cómo vas a escaparte? –pregunta mi mamá.

–Alondra, tengo una balsa –responde mi papá.

–¿Qué? ¿Tienes una balsa? –pregunta mi mamá muy furiosa.

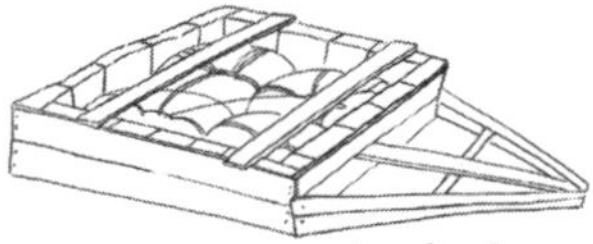

La balsa

¡Ay, no! Mi papá tiene una balsa. No es posible. ¡Mi papá tiene una balsa! Habla en serio. Es ilegal tener una balsa. No me gusta la situación. No quiero entrar a mi apartamento. No quiero hablar con mis padres. Tengo una idea.

Capítulo 2

Amigo

Voy al apartamento de mi amigo. Se llama Fabio. Tiene un apartamento muy pequeño. Entro al apartamento de Fabio. Entro en silencio porque estoy enojado.

–Tengo que hablar contigo –le explico.

–Sí, claro –responde Fabio.

Pero en ese momento Gloria entra al apartamento. Gloria es la hermana de Fabio. Yo no quiero estar enojado. ¡Gloria está en el apartamento!

–¡Hola, Gloria! –digo yo, contento.

Me gusta visitar a Fabio para ver a Gloria. Es muy guapa y alegre. Me gustan los ojos de Gloria. Pero Gloria no me presta mucha atención. No soy guapo. Las chicas les prestan atención a los chicos guapos. Ella tiene 14 años y yo tengo 13. Las chicas de 14 años no les prestan atención a los chicos de 13 años.

–Hola, Miguel –responde Gloria.

–¿Quieres jugar al béisbol? –interrumpe Fabio.

Apartamentos

–Sí, vamos al campo de béisbol –respondo.

Fabio tiene 13 años y es mi mejor amigo. Fabio y yo jugamos al béisbol los fines de semana. Pero jugar al béisbol es una excusa para ir al campo. Tengo que hablar con Fabio.

No quiero ir con mi papá en la balsa. Tengo que escaparme de mi apartamento. Quiero escaparme con Fabio mañana. Es urgente.

–Fabio –le digo.

–¿De qué quieres hablar, Miguel? –pregunta Fabio.

–Tengo un problema –le respondo.

En ese momento mi papá pasa por el campo. Pasa en su carro clásico. Tiene un Chevy. Mi papá es taxista.

–¡Miguel! Tienes que ir al apartamento –me dice mi papá.

–Pero, papá. ¿Por qué? –respondo.

–¡Vamos! –me dice mi papá firme.

Voy al apartamento con mi papá. No hablo con mi papá. Mañana voy a hablar con Fabio. Mañana.

Capítulo 3

La playa

–Vamos, Miguel –me dice mi mamá.

–¿Qué? –pregunto muy confundido.

–Vamos, Miguel –repite mi mamá.

–¿Qué hora es? –pregunto.

Estoy muy cansado y completamente confundido. Es de noche. Miro a mi mamá.

–¿Adónde vamos? –pregunto.

–Vamos, Miguel –me dice mi papá.

Rápido, mi mamá, mi papá y yo nos vamos en el carro. Vamos en el Chevy de mi papá. Mi mamá y mi papá no hablan. Estoy muy cansado.

De repente nosotros estamos en la playa. ¡Un momento! ¡Estamos en la playa! ¡No! Mi papá va

Chevy

a escaparse en la balsa. No me quiero ir con mi papá. Quiero quedarme en Cuba. ¿Y mi mamá va a escaparse también? Estoy muy nervioso.

Es difícil ver bien en la playa porque es de noche. Veo a cuatro personas. ¡No lo puedo creer! ¡Es Fabio y su familia! Su hermana, Gloria, está en la playa también. ¡No! ¡No es posible! Quiero impresionar a Gloria. Ella no puede notar que yo estoy nervioso. Pero sí, sí tengo miedo de escaparme en la balsa.

–¡Fabio! –exclamo.

La balsa

–Silencio. Hay guardias –me dice mi papá muy serio.

Tenemos que preparar la balsa en silencio y rápidamente.

–¿Te vas en la balsa? –pregunto yo.

–Claro. ¿Tú no? –me responde Fabio.

–Sí, claro. Me voy en la balsa –respondo.

Después de tres horas la balsa está preparada. La balsa es horrible. ¿Puede flotar?

–Al agua –nos dice mi papá.

Estoy muy mal. No quiero entrar al mar porque tengo miedo.

Capítulo 4
La balsa

Es difícil ver bien porque es de noche. Entramos en el agua con la balsa. El agua está fría. Hay muchas olas. De repente una ola grande me pega en la cabeza. No quiero ir en la balsa.

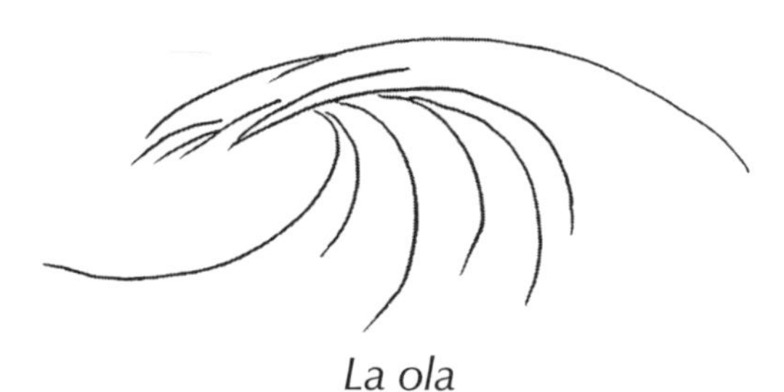

La ola

Ahora estoy muy nervioso porque hay muchas olas grandes. Yo agarro la balsa pero las olas suben rápidamente. La balsa sube y baja violentamente. Las olas me pegan constantemente. Mi papá sube a la balsa. Pero yo no puedo subir a la balsa.

–¡Súbete! –me grita mi papá.

–No puedo –le respondo.

Mi papá me agarra de los brazos y yo subo a la

balsa. Fabio, Gloria y sus padres están en la balsa. Pero no veo a mi mamá.

–¿Y mi mamá? –pregunto.

–¡Alondra! ¡Súbete! –le grita mi papá.

–¡No! ¡Yo me quedo en Cuba! ¡Tengo miedo! –responde mi mamá.

Mi mamá no quiere subir a la balsa. Tiene miedo. De repente mi mamá me agarra del brazo.

–¡Y Miguel se queda conmigo! –le grita mi mamá a mi papá.

–¡No! –exclama mi papá.

–¡Quiero ir con mi mamá! –grito.

Rápido, mi papá me agarra de las piernas. Me intento ir con mi mamá. Pero no es posible. Mi papá es muy grande. Mi papá no me permite ir con mi mamá. De repente una ola súper grande le pega a mi mamá. Ella flota con la ola hacia la playa.

–¡Mamá! ¡Mamá! –grito.

No puedo ver bien a mi mamá. Es de noche.

–¡Alondra! ¿Dónde estás? –pregunta mi papá.

No sé dónde está mi mamá. No puedo ver bien. Es de noche.

–¡Miguel! ¡Miguel! –me grita mi mamá.

Mi papá me agarra del brazo.

–¿Adónde vas? –me pregunta mi papá.

–Voy con mi mamá –respondo.

–Tú vas conmigo –me dice mi papá.

–¡Miguel! ¡Vamos! –me grita mi mamá.

–¡Mamá! ¡Súbete! –exclamo.

–¡Miguel! ¡No te puedes ir!

–¡La Guardia Costera! –grita Gloria.

Los guardias tienen rifles. Rápidamente mi mamá va hacia el carro. Estoy nervioso. Todos en la balsa estamos en silencio. Los guardias van por la playa. Quieren localizar a mi mamá.

Ahora no puedo ir con mi mamá. Los guardias están en la playa. Estoy muy enojado. ¡Es mi decisión! Tengo 13 años. Soy una persona adulta.

Ahora no tengo otra opción. Estoy con mi papá en la balsa. Estoy triste porque no puedo ir con mi mamá. Y estoy enojado con mi papá que me separa de mi mamá. Nunca voy a estar con mi mamá. Nunca. No voy a estar con mi mamá por el resto de mi vida. Estoy muy triste.

La Habana, Cuba

Capítulo 5
Enojado

No lo puedo creer. Mi mamá se queda en Cuba y yo me voy con mi papá. Voy a ir a Florida. No quiero ir a Florida. No quiero ir con mi papá. No quiero estar en la balsa. Estoy muy enojado.

–¿Qué te pasa? –me pregunta mi papá.

No le respondo. Mi papá sabe perfectamente por qué estoy enojado. Sabe que no quiero estar en la balsa. Sabe que quiero quedarme en Cuba con mi mamá. No voy a hablar con mi papá en toda mi vida. Sí, es cierto, en toda mi vida.

–¡Qué horrible, Miguel! Yo sé que quieres estar con tu mamá –me dice Gloria.

–Gracias –le respondo triste.

Quiero hablar con Gloria pero en ese momento no estoy bien. ¡Ay, no! Tengo náuseas y mareos porque la balsa se mueve constantemente. Voy a vomitar. No quiero vomitar porque Gloria está conmigo. Vomitar no es romántico.

–¡Ay, no! ¡Va a llover! –exclama Fabio.

–Sí, va a llover –confirma mi papá.

–Tengo miedo –dice Gloria.

¿En serio? ¿Estoy muy mal y va a llover? No lo puedo creer. No quiero más problemas. Entonces miro el mar. Es cierto, va a llover. No me gusta estar en la balsa.

Ahora las olas son más grandes y la balsa se mueve violentamente. Tengo náuseas y mareos. Sé que voy a vomitar. Un instante después, vomito. No estoy bien. No puedo moverme.

Estoy muy enojado. Mi papá es el responsable de todos mis problemas. ¡De todos mis problemas! ¡Ay, no! No quiero estar en la balsa.

Capítulo 6

Llueve

Ahora tengo mucho miedo. El mar está violento. La balsa sube y baja sin fin. Me tengo que agarrar a la balsa. Las olas son súper grandes y la balsa se mueve violentamente.

Llueve y no tengo protección. Tengo mucho frío. No puedo más. Llueve sin pausa.

Después de dos horas, el mar está en silencio. No llueve. Estoy muy cansado y ahora tengo hambre. Tengo que comer.

–Tengo hambre –digo.

–Yo también. Tengo que comer –me dice Fabio.

La mamá de Fabio mira la balsa. Está confundida. La mamá de Fabio se llama Rita. Es una persona muy alegre.

–¿Dónde están el pan y el agua? –pregunta Rita.

–¿No están en la balsa? –pregunta Fabio.

–Las olas son las responsables. El pan y el agua están en el mar –responde mi papá.

–No importa. En dos días vamos a estar en Florida –dice Rita alegre.

–Tengo mucha hambre. Tengo que comer –digo.

¿Dos días? ¿En serio? No lo puedo creer. Tengo mucha hambre. Tengo que comer. También tengo sed.

–¿Qué te gusta hacer, Miguel? –me pregunta Gloria.

–Me gusta jugar al béisbol –respondo.

–Claro. ¿Y qué más? –me pregunta Gloria.

–Me gusta bailar –le digo.

–A mí también me gusta mucho bailar –me dice Gloria.

¡Quiero bailar con Gloria! Por fin Gloria me presta atención. No lo puedo creer. Entonces Rita canta:

–Guantanamera...

–Guajira, Guantanamera –canta el papá de Gloria.

No lo puedo creer. No hay pan ni agua pero Rita canta. Rita es una persona muy alegre.

–¿Quieres bailar conmigo? –me invita Gloria.

–¡Claro! –respondo con mucha energía.

Todos en la balsa cantan. Gloria y yo bailamos en la balsa. No bailamos bien porque la balsa se mueve. Me gusta mucho bailar con Gloria. Es muy guapa. Por fin Gloria me presta atención.

¡Pum! De repente algo choca violentamente con la balsa. Algo nos tira a Gloria y a mí al agua. ¿Cómo es posible? Estamos en el agua.

Capítulo 7
El remo

–¡Miguel! ¡Gloria no sabe nadar! –exclama Fabio.

Yo miro a Gloria. Es cierto, Gloria no sabe nadar. Ella intenta nadar pero no mueve los brazos. Mueve la cabeza y flota en silencio. Un instante después no le puedo ver la cabeza. ¿Dónde está Gloria? Nado muy rápido hacia ella. Intento agarrar a Gloria del brazo. Es difícil. Después intento agarrarla de los brazos. ¡Por fin agarro a Gloria de los brazos! Nado con Gloria hacia la balsa.

–¡Miguel! ¡Un tiburón! –me grita mi papá.

Veo el tiburón. Tengo mucho miedo. No puedo moverme. Pero tengo que nadar, estoy en el mar. Entonces miro la balsa. No puedo subir a la balsa porque Gloria está frente a mí. Ella intenta subir a la balsa con dificultad. Pero no puede subir.

–¡Súbete! –le grito a Gloria.

Entonces Fabio agarra a Gloria de los brazos. Rápido, Fabio sube a Gloria a la balsa. Me agarro a la balsa para subir. Pero no puedo subir. Y el tiburón nada hacia mí.

–¡Papá! –grito.

¡El tiburón me va a atacar! Justo cuando el tiburón me ataca, mi papá le pega al tiburón. Le pega con un remo.

Intento subir a la balsa. ¡Es imposible! Tengo mucho miedo.

–¡Súbete! –me grita mi papá.

Mi papá me extiende la mano. Justo cuando me extiende la mano, el tiburón me ataca. ¡Pum! El papá

de Fabio le pega al tiburón. Le pega en la nariz, pero el tiburón lo atrapa con los dientes. Rápido mi papá me agarra de los brazos y me sube a la balsa.

¡Estoy en la balsa! No lo puedo creer. ¿El tiburón me puede atacar en la balsa? Estoy temblando.

Miro a mi papá. Tiene una expresión nerviosa. No puedo hablar con él. Estoy confundido. Mi papá es el responsable de todos mis problemas. Pero también mi papá es valiente.

–Miguel, eres muy valiente –me dice mi papá.

–Sí, Miguel, eres muy valiente. Gracias por defenderme de los tiburones –me dice Gloria.

–¿Y mi papá? –pregunta Fabio.

–¿Dónde está? –pregunta Rita.

Es cierto. El papá de Fabio no está en la balsa. Rita tiene miedo. Está temblando y sus ojos miran al mar sin pausa. Todos intentamos localizar a su papá. Todos tenemos miedo.

–¡Papá! ¡Papá! –exclama Gloria.

–¿Dónde está? ¡No es posible! ¿Dónde está? –pregunta Rita.

–¡Papá! ¡Papá! –exclama Fabio.

De repente yo veo un remo. El remo flota en el agua.

–¡Un remo! –grito.

El remo

–¿Y mi papá? –pregunta Gloria triste.

El mar es enorme. No veo al papá de Gloria en el agua. Es imposible localizar a una persona en el mar. Estoy nervioso.

Capítulo 8
Silencio

Es una situación horrible. Todos estamos muy tristes. Todos llaman al papá de Gloria. No quiero mirar a Gloria porque está temblando. Está muy triste y tiene miedo. Gloria mira al mar y llama a su papá.

Hay otro problema, el sol baja. Es imposible ver a una persona en el mar cuando baja el sol. Entonces tenemos que localizar al papá de Gloria rápido.

Tengo mucho miedo. Ahora el sol baja completamente. No me puedo ver las manos frente a los ojos. ¡Ay, no! No puedo ver los tiburones. ¿Hay

tiburones? ¿Pueden atacar la balsa? ¿Me pueden ver? La noche me da mucho miedo.

El mar está en calma. El silencio es total. Y no puedo ver absolutamente nada. Estoy nervioso. De repente algo choca con la balsa. Tengo mucho miedo. ¿Es el tiburón?

–¡Ay, no! ¡Es el tiburón! –exclama Gloria.

Entonces Gloria me agarra la pierna. Su mano está temblando.

–¿Tienes frío? –le pregunto.

–Sí, mucho –me responde Gloria.

Yo también tengo frío. Entonces Gloria me da un abrazo. Por un instante, no tengo frío. Estoy contento porque Gloria me presta atención. ¡Gloria me da otro abrazo! No lo puedo creer. Por fin Gloria me presta atención.

Capítulo 9

¿Es real?

Por la mañana no tengo energía. Estoy cansado y quiero comer. Tengo mucha hambre. Tengo sed. Quiero agua. Ahora tengo calor. No me puedo escapar del sol. La balsa no me da protección.

Ahora las olas son grandes. Me da miedo. No quiero estar en la balsa. De repente Rita exclama:

–¡Florida! ¡Florida!

Yo intento ver la costa de Florida pero no la veo. Veo el mar enorme. ¿Es real? ¿Rita ve Florida o está mal? Tiene hambre y sed.

–Mamá, no es Florida –explica Gloria.

–¡Florida! ¡Florida! –repite Rita.

Entonces Rita está contenta y mira el mar. Grita:

–¡Estoy en Florida!

Después ella se tira al agua. ¡Ay, no! Rita está en el agua. Rápidamente mi papá se tira al agua. Agarra a Rita de los brazos. Después nada con ella hacia la balsa. Es difícil porque las olas son muy grandes. Yo intento subir a Rita a la balsa. No puedo. Rita está mal. También Fabio intenta subir a Rita a la balsa. Es imposible.

Un instante después Gloria intenta agarrar a Rita. Justo cuando Gloria agarra a Rita, una ola muy grande le pega a la balsa. Entonces la balsa se mueve violentamente. ¡Ay, no! ¡La balsa nos tira al agua! Estamos en el agua.

Veo a Gloria. Está con su mamá y mi papá. Tienen un neumático para flotar. La balsa tiene cuatro neumáticos.

–¿Y Fabio? ¿Dónde está? –grito yo.

–No sé –me responde Gloria.

Miro la balsa, pero Fabio no está. Y no lo veo en el agua. Nado hacia la balsa. Me agarro de la balsa. Intento ver a Fabio. De repente algo choca con mi pierna. Tengo mucho miedo. ¿Es un tiburón?

Nado debajo de la balsa. ¡Veo a Fabio! Está atrapado debajo de la balsa. Agarro a Fabio por las piernas. No se mueve. Fabio está atrapado con un neumático.

Pero cuando agarro el neumático, veo un tiburón. Me da miedo. El tiburón nada hacia la balsa. Después el tiburón pasa frente a mí. Me mira con un ojo grande. Tengo mucho miedo.

Rápidamente agarro el neumático y la pierna de Fabio. ¡Perfecto! Separo a Fabio del neumático. Pero el tiburón nada hacia la balsa. Agarro el neumático. Después le pego al tiburón en la nariz con el neumático. ¡Pum! El neumático explota. Entonces Fabio y yo nadamos para subir a la balsa.

Subimos a la balsa. Pero la balsa no flota bien. Me da miedo porque la balsa no me da protección. Entonces agarro otro neumático de la balsa. Estoy nervioso. No puedo ver el tiburón. ¿Dónde está el tiburón?

Capítulo 10

El Barco

Miro el mar y veo a mi papá con Rita y con Gloria. Mi papá me grita:

-¡Miguel, nada a la playa!

-¡No! ¡Hay un tiburón! -le respondo.

-Hay un barco americano. Nos van a arrestar -me explica mi papá.

Miro el mar. Veo una playa en la distancia. Es cierto, hay un barco de la Guardia Costera. Son los americanos.

-Es la Guardia Costera -me dice Fabio.

Es cierto. Tengo que escaparme de los americanos. Me quieren atrapar. Tengo que nadar a la playa. Pero estoy nervioso. ¿Dónde está el tiburón? No lo veo.

No tengo opción. Me tiro al agua. Después agarro otro neumático. Fabio sube al neumático y nadamos hacia la playa.

Las olas son grandes. No puedo nadar muy rápido. La Guardia Costera intenta interceptar a mi papá, a

Gloria y a Rita. Ellos están atrapados. No pueden nadar hacia la playa. No van a escapar.

De repente veo el tiburón. Va a atacar a mi papá.

–¡Papá! ¡El tiburón! –le grito.

Mi papá ve el tiburón y nada rápido hacia el barco americano. Los americanos ven el tiburón. Un americano tiene un rifle. ¡Pum!

–¿Qué pasa? ¿Dónde está el tiburón? –pregunta Fabio.

–No sé –le respondo.

Rápidamente mi papá nada con Gloria y con Rita hacia la playa. Y yo nado con Fabio hacia la playa. No puedo nadar rápido porque no tengo energía. Pero tengo que nadar rápido. No quiero ir con la Guardia Costera. Tengo que nadar a la playa.

Por fin estoy en la playa. Estoy muy cansado. No me puedo mover.

Capítulo 11
La playa

–¡Miguel! –me dice Fabio.

–¿Dónde estoy? –le pregunto.

–Estás en la playa, en Florida –me responde Fabio.

–¿En serio? –le pregunto.

–Sí, estamos legalmente en Florida –me explica Fabio.

–No lo puedo creer. Estamos en la playa –digo.

Miro el mar. Es enorme. Tiene tiburones y es violento. Me da miedo. Un instante después miro el barco americano. Está frente a la playa. No veo a mi papá.

La playa en Miami, Florida

–¿Dónde están Gloria, Rita y mi papá? –pregunto.

–No sé –me responde Fabio.

No me puedo mover. Estoy contento porque estoy en la playa. Pero también estoy triste. Mi papá no está conmigo. Y mamá está en Cuba. No lo puedo creer.

–¿Puedes ver a Gloria? ¿A mi mamá? –me pregunta Fabio.

–No veo a tu mamá. No veo a Gloria –le respondo.

–No lo puedo creer. No tengo familia –dice Fabio triste.

Estoy triste también. Fabio y yo vamos por la playa. De repente veo a mi papá con Gloria y Rita. Están en la playa con la Guardia Costera. Vamos hacia ellos.

–¡Papá! –le grito.

–¡Miguel! ¡Estás bien! –me grita mi papá.

Mi papá me da un gran abrazo. Estoy contento de estar con mi papá.

–¿Te van a arrestar? –le pregunto.

–No, estoy en Florida legalmente. La Guardia no me puede arrestar porque yo nadé a la playa –me explica mi papá.

–¡Qué bien! –le digo.

Mi papá no es malo. Escapar en balsa es súper difícil. Pero mi papá no tiene miedo. No tiene miedo de un escape horrible. Mi papá es valiente. Quiere una mejor vida para mí. Mi papá puede quedarse en Florida. Ahora quiero quedarme en Florida.

–¿Y Gloria y mi mamá? –le pregunta Fabio.

–Pueden quedarse también –le explica mi papá.

–¡Excelente! –exclama Fabio.

–Estoy contenta y triste. Estoy con mi mamá pero sin mi papá –dice Gloria.

–También estoy triste por mi mamá. Pero mi mamá va a estar bien en Cuba –le respondo.

Entonces Gloria me mira. ¡Gloria me presta atención!

–Gracias, Miguel, por defenderme de los tiburones –me dice Gloria.

Después Gloria me da un abrazo. Por fin Gloria me presta atención. Estoy contento porque estoy con Gloria, Fabio y mi papá. Después de un escape horrible no quiero ir a Cuba. Por el momento me quedo en Florida porque quiero una mejor vida.

Glosario

A

a - at, to
abrazo - hug
absolutamente - absolutely
adónde - to where
adulta - adult
agarra - grabs
agarrar - to grab
agarrarla - to grab her
agarro - I grab
agua - water
ahora - now
al - at the, to the
alegre - cheerful
algo - something
americano - American
americanos - Americans
amigo - friend
años - years
apartamento - apartment
arrestar - to arrest
ataca - attacks
atacar - to attack
atención - attention
atrapa - traps
atrapado - trapped
atrapados - trapped
atrapar - to trap
ay, no - oh no

B

bailamos - we dance
bailar - to dance
baja - goes down
balsa - raft
barco - boat
bien - well
béisbol - baseball
brazo - arm
brazos - arms

C

cabeza - head
calma - calm
calor - heat
campo - field

cansado - tired
canta - sings
cantan - they sing
capítulo - chapter
carro - car
chicas - girls
chicos - boys
choca con - bumps into
cierto - true
claro - of course
clases - classes
clásico - classic
comer - to eat
cómo - how
completamente - completely
con - with
confirma - confirms
confundida - confused
confundido - confused
conmigo - with me
constantemente - constantly
contenta - happy
contento - happy
contigo - with you
costa - coast
costera - coast
creer - to believe
cuando - when
cuatro - four
Cuba - Cuba
cubano - Cuban

D

da - gives
de - of, from
de repente - suddenly
debajo de - under
decisión - decision
defenderme - to defend me
del - from the, onto
después - after
días - days
dice - says
dientes - teeth
difícil - difficult
dificultad - difficulty
digo - I say

distancia - distance

dónde - where

dos - two

E

el - the

él - he

ella - she

ellos - they

en - in

en ese momento - at this time

energía - energy

enojado - angry

enorme - enormous

entonces - then

entra - enters

entramos - we enter

entrar - to enter

entro - I enter

eres - you are

es - is

escapar - to escape

escaparme - to escape

escaparse - to escape

escaparte - to escape

escape - escape

está - is

estamos - we are

están - they are

estar - to be

estás - you are

este - this

estoy - I am

excelente - excellent

exclama - exclaims

exclamo - I exclaim

excusa - excuse

explica - explains

explico - I explain

explota - explodes

expresión - expression

extiende - extends

F

familia - family

fin - end

fines de semana - weekends

firme - firmly

Florida - Florida

flota - floats

flotar - to float

fría - cold

frío - cold

frente de - in front of

furiosa - furious

furioso - furious

G

gracias - thanks

gran - big

grande - big

grandes - big

grita - yells

gritan - they yell

grito - I yell

Guajira Guantanamera - a well-known Cuban song; peasant girl from Guantánamo, Cuba

guapa - beautiful

guapo - good-looking

guapos - good-looking

guardia - guard

Guardia Costera - Coast Guard

guardias - guards

gusta - pleases, likes

gustan - please, like

H

Habana - Havana

habla - talks

hablan - they talk

hablar - to talk

hablo - I talk

hacer - to do

hacia - towards

hambre - hunger

hay - there is, there are

hermana - sister

hola - hi

hora - hour

horas - hours

horrible - horrible

I

idea - idea

ilegal - illegal

importa - important

imposible - impossible
impresionar - to impress
instante - instant, moment
intenta - tries
intentamos - we try
intento - I try
interceptar - intercept
interrumpe - interrupts
invita - invites
ir - to go

J

jugamos - we play
jugar - to play
justo - just

L

la - the
La Habana - Havana
las - the
le - her, him
legalmente - legally
les - them
llama - calls
llover - to rain
llueve - rains
lo - it, him
localizar - to locate
los - them

M

mañana - tomorrow
mal - poorly
malo - bad
mamá - mom
mano - hand
manos - hands
mar - sea
mareos - seasickness
más - more
me - me
mejor - best, better
mi - my
mí - me
miedo - fear
mira - looks at
miran - they look at
mirar - to look at
miro - I look at

mis - my
momento - moment
mover - to move
moverme - to move myself
mucha - much, a lot
muchas - many, a lot
mucho - a lot
muchos - many, a lot
mueve - moves
muy - very

N

nada - swims
nadamos - we swim
nadar - to swim
nadé - I swam
nado - I swim
nariz - nose
náuseas - nausea
nerviosa - nervous
nervioso - nervous
neumático - tire (inner tube)
neumáticos - tires (inner tubes)
ni - nor
no - no
noche - night
nos - us
nosotros - we
notar - to notice
nunca - never

O

o - or
ojo - eye
ojos - eyes
ola - wave
olas - waves
opción - option
otra - other
otro - other

P

padres - parents
pan - bread
papá - dad
para - in order to, for
pasa - passes
pausa - pause
pega - hits

pegan - they hit
pego - I hit
pequeño - small
perfectamente - perfectly
perfecto - perfect
permite - permits
pero - but
persona - person
personas - people
pierna - leg
piernas - legs
playa - beach
por - for, by, along
por fin - finally
por qué - why
porque - because
posible - possible
pregunta - asks
pregunto - I ask
preparada - prepared
preparar - to prepare
presta - pays
prestan - they pay
prisión - prison
problema - problem
problemas - problems
protección - protection
puede - s/he can
pueden - they can
puedes - you can
puedo - I can
pum - bam

Q

qué - what
que - that
queda - stays
quedarme - to stay
quedarse - to stay
quedo - I stay
quiere - wants
quieren - they want
quieres - you want
quiero - I want

R

rápidamente - fast
rápido - fast

real - real
remo - oar
repite - repeats
responde - responds
respondo - I respond
responsable - responsible
responsables - responsible
resto - rest
rifle - rifle
rifles - rifles
romántico - romantic

S

sabe - knows
sé - I know
se queda - stays
sed - thirst
semana - week
separa - separates
separo - I separate
seriamente - seriously
serio - serious
sí - yes
silencio - silence
sin - without
situación - situation
sol - sun
son - they are
soy - I am
su - his, her
sube - rises, gets up, gets on
suben - they rise
súbete - get on
subimos - we get on
subir - to get on, to put up on
subo - I get on
súper - super
sus - his, her

T

también - also
taxista - taxi driver
te - you
temblando - shaking
tenemos - we have
tener - to have
tengo - I have
tiburón - shark

tiburones - sharks

tiene - has

tienen - they have

tienes - you have

tira - throws

tiro - I throw

toda - entire

todos - all, everyone

total - total

tres - three

triste - sad

tristes - sad

tu - your

tú - you

U

un - a, an

una - a, an

urgente - urgent

V

va - goes

valiente - valiant, brave

vamos - we go

van - they go

vas - you go

ve - sees

ven - they see

veo - I see

ver - to see

vida - life

violentamente - violently

violento - violent

visitar - to visit

vomitar - to vomit

vomito - I vomit

voy - I go

Y

y - and

yo - I

Agradecimiento

This book is dedicated to Ivan Rodon who never gave up despite the hardships of building three rafts. His detailed insights about fleeing on a raft, Cuban life, and perils of the sea were invaluable to me.

Thanks to the students of: Cynthia Hitz from Palmyra Area High School in Pennsylvania, Alina Filipescu from Kraemer Middle School in California, Nelly Hughes from Benjamin Logan High School in Ohio, and Kelly Ferguson from LaFollette High School in Wisconsin.

In addition, Laura Zuchovichi, Jody Noble, Mike Coxon, Anny Ewing, Leticia Abajo and Penelope Amabile were all helpful in providing me with feedback.

Notas

Themes and topics for you to explore:

- La Habana, Cuba and Miami, Florida
- Cuban Revolution: Fidel Castro, Raul Castro, Che Guevara
- Cuban Missile Crisis
- Bay of Pigs Invasion
- Wet Foot, Dry Foot Policy
- U.S. Trade Embargo
- Cuban Adjustment Act of 1966
- Cuban exit visa and letters of invitation- partially lifted in 2013
- Mariel boatlift of 1980 when 125,000 Cubans arrived on Florida's shores in six months
- Balseros- Cuban refugees via rafts
- Peter Pan, Freedom flights
- Communism- no private property, set state salaries, command economy
- Cuban Communist Party
- Cuban Human Rights

- Travel to Cuba is prohibited by U.S. law without a pre-arranged visa
- 12 categories of authorized travel to Cuba for American citizens
- La Habana
- Classic cars of Cuba
- Miami, Florida- home of the majority of Cubans in the U.S.
- Cuban music
- Guantanamera- well-known Cuban song that incorporates José Martí's poetry
- José Martí- father of Cuban patriotism

Mira Canion en Cuba

Sobre la autora

Mira Canion is an energizing presenter, author, photographer, stand-up comedienne, and Spanish teacher in Colorado. She has a background in political science, German, and Spanish. She is also the author of the popular novellas *Piratas del Caribe y el mapa secreto, Rebeldes de Tejas, Agentes secretos y el mural de Picasso, La Vampirata, Rival, Tumba, Fiesta fatal, El capibara con botas, El escape cubano, Pirates français des Caraïbes, La France en danger et les secrets de Picasso* as well as teacher's manuals. For more information, please consult her website: **www.miracanion.com.**